DATE DUE
DEC 2 0 2002
DE 10 '03
E 31 '03
DEC 1 8 2004
DEC 2 7 2005
DEC 1 4 2007
DEC 2 9 2007
LE : Le premier Noël De Nina
son Christine
HASKELL FREE LIBRARY
P.O. Box 337 Derby Line, Vt. 05830
1 Church St. Stanstead, QC JOB-3E2
Any resident of Derby Line, or Stanstead may take out books, free of charge, for 14 days. A fine of 2¢ per day will be charged on late books. Charges will also be made for damaged or lost volumes.
The librarian shall deliver no books to persons delinquent in the above regulations.
DISCARD
D1385169

À Laurence
C. L.

À Diane, Grahame et Amy
G. H.

Loi 49.956 du 16.07.1949
Dépôt légal : 3e trimestre 2001
ISBN : 2.7459.0368.3
Imprimé à Dubaï

LE PREMIER NOËL DE NINA

Christine Leeson

Gaby Hansen

Texte français : Danièle Ball-Simon

MILAN

C'était le premier Noël de Nina. Le cœur empli d'impatience, Nina la petite souris contemplait le ciel teinté de rose et d'or.

Par la fenêtre de la maison voisine, elle aperçut soudain quelque chose qui scintillait dans la nuit.
– Dis, Maman, qu'est-ce que c'est ? couina Nina.
– C'est un sapin de Noël, expliqua Maman Souris. Les hommes y accrochent des boules brillantes, des lumières et des étoiles.
– Comme j'aimerais en avoir un pour nous, soupira Nina.
– Dans ce cas, tu pourrais aller dans la forêt pour chercher un sapin et le décorer aussi joliment que celui-ci, suggéra Maman Souris.

Nina trouva cette idée merveilleuse. Elle appela aussitôt ses frères et sœurs et, tous ensemble, ils se mirent en route.

Chemin faisant, le petit groupe arriva devant une grange. Les souris se mirent à fouiller à l'intérieur à la recherche d'un bel objet pour leur arbre de Noël. Et sous un grand tas de foin, Nina découvrit une poupée.
– Elle ressemble à celle qui est accrochée au sommet du sapin que j'ai vu par la fenêtre, déclara-t-elle. C'est exactement ce qu'il nous faut !

Mais soudain, un grognement résonna dans la grange.
– Grrr ! fit le chien de la ferme. Cette poupée est à moi !
– Ne nous fais pas de mal ! s'écria Nina. Je pensais simplement qu'elle irait bien sur notre sapin de Noël.
Le vieux chien bâilla à s'en décrocher la mâchoire.
Certes, il chassait quelquefois les souris.
Mais peut-être parce que c'était Noël, ou encore parce qu'il songeait au temps où il gambadait avec les enfants de la ferme autour du sapin, il accepta de prêter son jouet à Nina.

Les souris emportèrent la poupée et arrivèrent bientôt à l'orée du bois.
– Oh ! Je viens de trouver un autre objet à suspendre à notre sapin ! cria Nina.
C'était un ruban argenté, accroché à une branche de chêne. Nina grimpa le long du tronc, attrapa le ruban et se mit à tirer...

Mais le ruban appartenait à une pie
qui l'avait rapporté pour en tapisser son nid.
– S'il te plaît, ne te fâche pas, implora Nina.
Je voulais simplement l'accrocher à notre
arbre de Noël.

D'habitude, la pie chassait les souris. Mais peut-être parce que c'était Noël, ou encore parce qu'elle avait, elle aussi, admiré le beau sapin par la fenêtre, elle lâcha le ruban et Nina put l'emporter.

Soudain, Nina aperçut au loin des objets rouges et brillants gisant à terre. Ils ressemblaient aux boules du sapin qu'elle avait vu par la fenêtre.

– C'est exactement ce qu'il nous faut ! s'écria-t-elle en s'élançant pour aller les ramasser. Maintenant, nous avons une poupée, un ruban argenté et des boules brillantes !

Mais ces boules appartenaient à un renard.
– Ce sont mes pommes ! glapit-il. Je vais les enterrer pour avoir assez de provisions jusqu'à la fin de l'hiver.
– Je voulais juste en emporter une pour l'accrocher à notre sapin de Noël, répondit Nina en tremblant comme une feuille.
Le renard renifla. Plus que tout autre animal dans ces bois, il chassait les souris. Mais peut-être parce que c'était Noël, ou bien parce qu'il n'avait encore jamais vu de sapin de Noël jusqu'ici, il tourna les talons, laissant Nina emporter une jolie pomme.

La nuit commençait à tomber lorsque les souris pénétrèrent dans la forêt. Et là, à travers un buisson de ronces, elles aperçurent une étoile au doux scintillement, ainsi qu'une douzaine de petites lumières vertes et dorées.

– Des étoiles pour notre sapin ! s'écria Nina. Je vais les prendre.

Mais lorsque la petite souris se mit à inspecter les branches, elle n'y trouva aucune étoile...

C'était en fait le collier d'une chatte à l'air menaçant. Elle était entourée de ses trois chatons dont les yeux brillaient dans le noir.
– Oh ! là, là ! gémit Nina, terrorisée. Je voulais seulement trouver quelque chose de scintillant pour notre sapin de Noël !
La chatte dressa les oreilles. Elle aimait par-dessus tout chasser les souris. Mais peut-être parce que c'était Noël, ou encore parce qu'elle se souvenait du sapin dans la jolie maison où elle était née, elle ôta son vieux collier et permit aux souris de l'emporter.

Finalement, dans une clairière
au fond des bois, les souris
trouvèrent un magnifique
et grand sapin.
– Notre arbre de Noël !
s'écria Nina.
Aussitôt, elles y accrochèrent
la poupée, le ruban,
la pomme et le collier.

– Oh ! s'exclama Nina lorsqu'elles eurent terminé. Il ne ressemble pas du tout au sapin que j'ai vu !
Déçues, les souris repartirent tristement et rentrèrent se coucher.

Au beau milieu de la nuit, Maman Souris réveilla ses petits.
– Suivez-moi, murmura-t-elle. J'ai quelque chose
à vous montrer.
Avec ses frères et sœurs, Nina suivit sa maman en trottinant
à toute allure. Les petites souris longèrent la ferme et entrèrent
dans les bois. De temps à autre, elles apercevaient d'autres
animaux qui couraient devant elles, en direction de la partie
la plus profonde de la forêt.

Enfin, les souris arrivèrent à la clairière où se trouvait le sapin. Soudain, Nina s'arrêta, les yeux écarquillés de surprise.
– Oh, regardez ça ! s'écria-t-elle.

Pendant la nuit, chaque animal de la forêt avait ajouté un objet à l'arbre. Et comme il avait fait très froid, le givre avait recouvert tout le sapin d'un manteau étincelant. Il brillait de mille feux et les étoiles elles-mêmes semblaient s'être accrochées à ses branches. La plus grande d'entre elles trônait tout au sommet.
– Notre sapin de Noël est encore plus beau que celui que j'ai aperçu par la fenêtre, murmura Nina, éblouie.

Et peut-être parce que c'était Noël, tous les animaux s'assirent tranquillement autour de leur arbre, le regard émerveillé et le cœur en paix.